# ПЕРША КНИЖЕУКА

## THE LITTLE BOOK

### STORY READER FOR A FREE UKRAINE

#### SPECIAL HUMANITARIAN EDITION

Durvile & UpRoute Books

UPROUTE IMPRINT OF DURVILE PUBLICATIONS LTD.

Calgary, Alberta, Canada

Durvile.com

© 2022 Durvile Publications
Originally printed as ПЕРША КНИЖЕЧКА in 1932
Reprinted and translated from the 1940 "corrected" edition

The original printing of this book coincided with the Holodomor genocide —
the Great Famine in Soviet Ukraine that killed almost 4 million people.

CATALOGUING PUBLICATIONS DATA

The Little Book: Story Reader for a Free Ukraine
Matwijczuk, Mykola, author/editor of 1932 Edition
O. Kurelas, Illustrations
Shyba, Lorene, introduction/editor
Stroinska, Magna, Translation
Shyba, Volodymyr, Translation


1. Ukrainian Language
2. Canadian Ukrainian Diaspora | 3. Ukrainian Culture | 4. Political Freedom


Every River Lit Series. Series editor, Lorene Shyba

978-1-9907350-42 (pbk)
978-1-990735-06-6 (audio) | 978-1-990735-05-9 (e-pub)

Durvile Publications would like to acknowledge the support of
the Government of Canada through Canadian Heritage Canada Book Fund
and the Government of Alberta, Alberta Media Fund.

Canadä  Alberta

Printed in USA. Special Humanitarian Edition. Third printing. 2022.

# ПЕРША КНИЖЕУКА

## THE LITTLE BOOK

### STORY READER FOR A FREE UKRAINE

#### SPECIAL HUMANITARIAN EDITION

Mykola Matwijczuk
Introduction by Lorene Shyba PhD
Translation, Magda Stroinska PhD and Volodymyr Shyba

DURVILE &
UpRoute Books

Calgary, Alberta, Canada

We dedicate this book to the people of
Ukraine and to the Ukrainian diaspora
all throughout the world.

Велика і красна наша Україна. І хоч вона
далека, — ніколи не перестаю її любити.
Завжди про неї думаю.

## Слава Україні

SLAVA UKRAINI

# Introduction

Our 2022 Version    The 1940 Version

**M**y babka, (grandma), used to read to me from *The First Little Book* when I was a child. If you look hard at the front cover of the 1940 version, my Aunt Marian (Marushka) Powley's name is on the front cover. She must have brought it home from school. I have cherished my copy of this book for a long time and now, with a new edition, it has a new mission, to teach you some lessons in Ukrainian!

I remember being able to understand the Ukrainian language lessons my babka and my mom taught me from this book but I thought I had forgotten everything. The lessons did not completely disappear though! As I have worked on reviving and translating *The Little Book* I started remembering: *Мама, Тато, баба Baba, Дуже дякую duzhe dyakuyu,* and many of the other words and phrases.

I challenge you to have some fun. Learn the sounds from the alphabet symbols on page 9. Practise sounding them out and then when you read the translations we have provided, you can start matching up the meaning with the words, if just in a general way at first. You can become more precise over time when you find the patterns of the way the sentences are put together. If you are a friend of technology, you can invite Google Translate to the party too. :)

## The Ukrainian Diaspora

Are you familiar with the word diaspora? It means people who have settled far from their ancestral homelands and who still feel a connection — like I do with Ukraine. I have visited my relatives there three times. The first time, a long time ago now, was when Ukraine was still part of the Soviet Union, under Moscow's control. My family resented this, as they were not free to sell their own farm crops or worship freely in their church. They have many stories about oppression under the Bolshevik Russian rule. The next two times I was there, Ukraine was its own free nation. It is better that way!

*The Little Book* that you are holding in your hands was first printed in 1932 at the Basilian Fathers Monastery in Zhovkva, near Lviv, Ukraine. The version we used for this translation is the 1940's "Corrected Version," printed in Winnipeg, Manitoba by A. Homik. Although most children who were reading the  back in the day were born in Canada, they were connected with Ukraine. The book must have inspired them to respect the language and culture of the homeland. *The Little Book* even says, on page 42, "We must remember about family and about the old country!"

You may wonder why the Ukrainian version of that sentence is not in the book. It is because we didn't have room for every paragraph of original text — the English translations took up space too. That's where technology comes in handy because you will see there is a QR code in some of the margins that enables you to use your phone or computer to go to the website for extra material. There you will find links to get pronunciation tips and useful phrases.

*The Spirit of Language*

My publishing partner Raymond Yakeleya and I have created a series of Indigenous language books over the past few years for Anishinaabe, Dene, Métis Michif, and Blackfoot Peoples. Is our belief, and that of many cultural scholars, that language represents the mind and spirit of a people. Although the Ukrainian language is not under the same threat of extinction as many of the Indigenous languages, we still feel that it makes sense to express and protect the gift of the language. Even if you are not Ukrainian, if you love freedom you may wish to say, Ми всі українці. *My vsi ukrayintsi.* We are all Ukrainian! Another wonderful phrase is *Slava Ukraini*, Glory be to Ukraine.

We tried to find out about the original author of *The Little Book*, Mykola Matwijszuk, and the illustrator O. Kureles, but the authors and artists of this book are long departed from this world, I feel sure that they would be proud of *The Little Book*, especially knowing that our proceeds for this edition are going to a great charity to help the people of Ukraine.

I wish to especially thank Dr. Magda Stroinska and Volodymyr Shyba who have translated these wonderful lessons, stories and poetry. *Duzhe dyakuyu.* Do you remember seeing that phrase from earlier in my introduction? Something my babka taught me to say. *Duzhe dyakuyu* means "thank you very much."

— *Lorene Shyba PhD, 2022*

# Українська азбука.

## The Ukrainian Alphabet
## and Pronunciation

а А,　б Б,　в В,　г Г,　ґ Ґ,　д Д,
　a　　b　　v　　h　　g　　d
**u, cup**　**b, bad**　**v, voice**　**h, hat**　**g, got**　**d, day**

е Е,　є Є,　ж Ж,　з З,　и И,　й Й,
　e　　ye　　zh　　z　　y　　y
**e, let**　**ye, yet**　**si, vision**　**z, zoo**　**i, ill**　**y, yellow**

і І,　ї Ї,　к К,　л Л,　м М,　н Н,
　i　　yie　　c　　l　　m　　n
**i, Hawaii**　**yei, yield**　**c, can**　**l, like**　**m, man**　**n, name**

о О,　п П,　р Р,　с С,　т Т,　у У,
　o　　p　　r　　s　　t　　u
**o, not**　**p, pet**　**r, bright**　**s, see**　**t, tea**　**u, put**

ф Ф,　х Х,　ц Ц,　ч Ч,　ш Ш,
　f　　h　　ts　　ch　　sh
**f, find**　**h, help**　**ts, its**　**ch, check**　**sh, she**

щ Щ,　ю Ю,　я Я,　ь.
　shch　　u　　ya　　no
**shch,**　**u, use**　**ya, yard**　sound
**scottish-cheese**

o o o

i i i

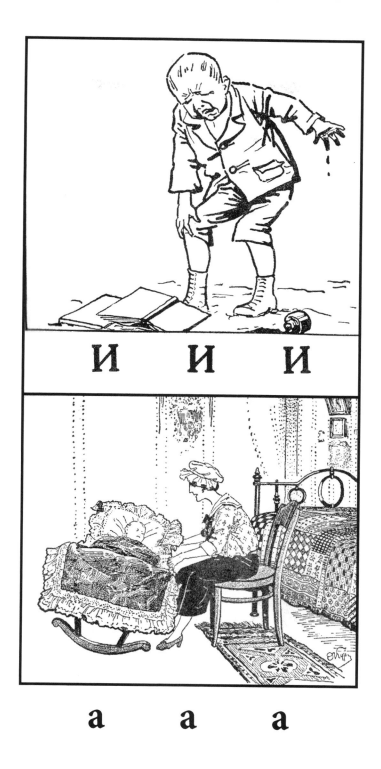

И И И

а а а

у    у    у

е    е    е

# й    ой    ай

# т та́то

то та́то. то ти,
та́ту? ай та́ту!

This is Daddy, and
this is us?
Daddy! Daddy!

# м  ма́ма

то ма́ма,  то  та́то,
а  то  ми.

This is Mommy,
this is Daddy
and this is us.

# х ха́та

то те́та. у те́ти ха́та.
ха́та те́ти ти́ха.

This is Auntie.

Auntie has a cottage.

Auntie's cottage
is quiet.

# с сита

у ма́ми си́то і у
те́ти си́то. самі́ си́та.

Mommy has a strainer
and Auntie
has a strainer.
These are strainers.

# Д ДО МИ́

то дім те́ти, а то мій дім. то доми́.

This is Auntie's house
and this is my house.
These are houses.

# Я МОЯ́

## то моя́ те́та, то я, а то моя́ ма́ма.

This is my Auntie,
this is me, and
this is my Mommy.

# є дає́

ми є у те́ти. є тут і
моя́ ма́ма. те́та дає́
ма́мі ме́ду.

We are at Auntie's. Here
is my Mommy. Auntie is
giving Mommy honey.

# л лúса

то моя́ лúса. лúса iде́
до до́му. му! му! му!
лúса! лúса!

This is my fox. The fox is
going to his home. Moo,
moo, moo. Fox! Fox!

# К КОТИ́

то коти́. кі́тка ми́є ко́-
тика. ма́ма дає́ кота́м
молоко.

These are cats. Mother cat is
washing her kitten.
Mommy gives the cats milk.

# б ба́ба

ми ходи́ли до ба́би. ба́ба були́ до́ма. ми да́ли ба́бі бу́лку і я́блук.

We went to Grandma's.

Grandma was at home.

We gave Grandma bread

and apples.

# п пе́сик

у ба́би є пе́сик і ко́тик. ко́-
тик пе молоко́. пе́сик куса́є
ко́тика.

Granny has a doggie and a
kitty. The kitty is drinking milk.
The doggie is nipping
at the kitty.

# н дити́на

іду́ до мами і несу́ дити́ну.
несу́, несу́, не донесу́, ста́ну.
ма́мо, на́те дити́ну!

I am walking to my Mommy
and I am carrying the baby.
I carry it, I carry it, but I cannot
keep carrying it, I have to stop.
Mommy, here is the baby.

# р ріка́

то ріка́. там ко́ло ріки́ ха́та
рибака́. риба́к ла́пає ри́бу.
ходи́ над ріку́!

This is a river. There, next
to the river is the
cottage of the fisherman.
The fisherman catches fish.
Let's go to the river.

# ï їсти

у баби є кури. баба дає
курам їсти. їда курам сма-
кує. даймо їсти і песикам.

Granny has chickens. Granny
is giving them food to eat.
The chickens are
enjoying the food.
Let's also feed the doggie.

іду́ до сусі́да.
у сусі́да є ка́рі ко́ні.
сусі́д дає́ ко́никам
сі́на. син сусі́да
поїде до лі́са.
і я поїду до лі́са.
під лі́сом є ріка́. там
скупа́ємо ко́ні.

I am going to the neighbor.
The neighbor has brown horses. The neighbor
is giving hay to the horses. The son of the
neighbor will go to the forest. I will also go to
the forest. Near the forest is the river.
We will wash the horses there.

діти сиділи під
му́ром і пекли́ хліб.
мі́сили боло́то на
ті́сто, а піско́м поси-
па́ли. по́тім роби́ли
булки́ і проси́ли ї́сти.
то бу́ли ді́ти сусі́да.

The children were sitting by the wall
and baking bread. They mixed mud into
dough and sprinkled it with sand.
Then they were making bread rolls
and invited us to eat.
They were the children of the neighbor.

# О Л

Ле́сик ма́є пе́сика.
Оле́нка бу́де
пе́сика купа́ти.
Оле́кса пуска́є орла́.
Оре́л літа́є.
Ле́сик пита́є Оле́кси
хто буду́є літаки́?

Lesik has a doggy.

Olenka is going to

wash the doggy.

Oleksa is letting out a kite.

The kite flies.

Lesik asks Oleksa,

"Who builds airplanes?"

# М І

Ірйнка ма́є куря́тка.
Одно́ куря́тко бі́ле, а тро́є
сі́рих. І Мала́нка ма́є ку-
ря́тка, а Мико́ла крі́лики.
Мико́ла приніс крі́ликам
ї́сти. Ірйнко! Мала́нко! да́йте
і куря́ткам ї́сти!

Irinka has little chicks.
One little chick is white and
three are grey. Malanka also
has little chicks and Mikola
has rabbits. Mikola brought
food for the rabbits.
Irinka! Malanka!
Give the little chicks
food too!

# ч Ч

Марійка ма́є чи́танку.
Чи́танка Марі́йчина чи́ста.
І ру́ки Марі́йчині чи́сті. Марі́йка уми́ла ру́ки, а по́тім читала: чоло́, о́чі, річ, ніч.
Марі́йка ма́є бі́ле ли́чко і чо́рні ку́чері. Ми її́ кли́чемо: Марі́єчко!

Mariyka has a reader.

Mariyka's reader is clean.

And Mariyka's hands are clean.

Mariyka washed her hands

and then she read:

forehead, eyes, night.

Mariyka's curls are black.

We are calling to her:

Mariyka!

# Т У

То місто. У місті є дім тітки Марини. У домі тітки Марини тихо й чисто. Тітка має садок коло дому.

У садку є рута й мятка. Там росте оріх. Тітка Марина є Українка.

This is a town. In this town
is the house of Auntie Marynia.
Auntie Marynia's house is
quiet and clean. Auntie has a
little orchard next to her house.
In the little garden
are mint and rue.
A walnut tree grows there.
Auntie Marynia is Ukrainian.

# г Г

Мала́нка ма́є гу́си.
Гу́си Мала́нчині голо́дні.
Мала́нка году́є ті гу́си
і пасе́ їх під лі́сом.
Мала́нчині гу́си усі́ бі́лі.
Гану́сині гу́си і бі́лі і сі́рі.

Malanka has geese. Malanka's geese are
hungry. Malanka feeds her geese and
shepherds them near the forest.
Malanka's geese are all white.
Hanusia's geese are white and grey.

# П Х

Петро́ буду́є ха́ту. Ха́та ма́є дах. При ха́ті є бу́да. У бу́ді ночу́є пес Лиско́. Марі́йка посі́яла ко́ло ха́ти мак. Петро́ й Хома́ обгороди́ли ха́ту й горо́д парка́но́м.

Petro is building a house. The house has a roof. Next to the house is a doghouse. Lisko the dog sleeps in the doghouse at night. Mariyka planted poppies next to the house. Petro and Homa build a fence around the house and the garden.

# ш Ш

Микóла ідé до шкóли.
Шкóла недалéко. Микóла
мéшкає кóло шкóли. Тáто
купúли йомý шáпку,
чúтанку й тóрбу. Микóла
умíє читáти і гáрно пúше.
Чúтанка у Микóли чúста.
І рýки у Микóли чúсті.
Микóла шанýє рíчи та

Mikola is going to school. The school is not far
away. Mikola lives close to the school. His daddy
bought him a hat, a reader and a bag. Mikola knows
how to read and he writes well. Mikola's reader is
clean. And Mikola's hands are clean. Mikola takes
good care of things and keeps them clean.

# ю Ю

То на́ша ха́та. Тут я
ме́шкаю. У ха́ті є стіл.
При столі́ пишу́ й чита́ю.
Юсти́нка убира́є мало́го
Пе́трика. Пе́трик пі́де
га́йту. Юсти́нка понесе́
його́ до сусі́ди. Мені́ на
імя́ Юрко́.

This is our house. I live here.
There is a table in the house. I write and
read at this table. Yustinka is dressing little
Petrik. Petrik will go for a walk. Yustinka
will carry him to the neighbors.
My name is Yurko.

Danilko is writing a letter to Kolomyia.
This is a city in the old country.
In Kolomyia, in the town centre, there
is a market square, in the market
square, there are houses, shops and the
town hall. Beside Kolomyia, there is the
river Prut. Kolomyia is a beautiful city.
Danilko's Grampa lives in Kolomiya.

*Danilko is writing a letter to Grandpa.*
*We also write letters to Grandpa*
*Grandma and Auntie.*
*We write to Kolomyia, Dolyna, Kalush,*
*Horodenka. Our family is there,*
*our old country is there.*
*We must remember about family*
*and about the old country!*

Scan this QR code for the Ukrainian translation of this paragraph.

# Д К

Дани́лко пи́ше лист до Коломиї. Коломи́я — то мі́сто у старі́м краю́. У Коломиї є се́ред мі́ста ри́нок, у ри́нку доми́, склепи́ і ра́туш. Побіч Коломиї є ріка́ Прут. Коломи́я є га́рне мі́сто. Дани́лко ма́є у Коломиї ді́да.

A cow makes milk and sheep make wool. Pavlo Vandyka has two pairs of horses, a herd of oxen, cows and a flock of sheep. Shepherd Ivan looks after them on the pasture. He looks after them from morning until night. In the evening, he returns home. He gives the animals water and he goes for supper.

*Next to our house is a pond. The water in the pond is clear and deep. We have a boat. We know how to row. In the summer, we will take the boat to the pond. Uncle Vlodko will come with us.*

Scan this QR code for the Ukrainian translation of this paragraph.

# В в

Коро́ва дає́ молоко́, а овеч-
ка во́вну. Павло́ Ванди́ка
ма́є дві па́ри ко́ней, ста́до
волі́в, коро́в і череду́ ове́-
чок. Пасту́х Іва́н пасе́ те
ста́до на ви́гоні. Пасе́ його́
від ра́нку до но́чі. Уве́чері
верта́є додо́му. Дає́ худо́бі
води́, сам іде́ на вече́ру.

Grandpa Antin has two grandchildren. Andriyko and Natalka, these are his grandchildren. Grandpa Antin sends his grandchildren to school. They are doing well in school. This makes Grandpa Antin happy.

*Natalka got a national dress from Grandpa. She is going to wear it on St. Nicholas day. On St. Nicholas day, there will be a performance in the National House. Andriyko will be playing an angel in this performance. Natalka will go to this performance.*

*Scan this QR code for the Ukrainian translation of this paragraph.*

# А Н

Дід Антін ма́є дво́є
вну́ків. Андрі́йко і Ната́лка
— то його́ вну́ки. Дід
Антін посила́є свої́х уну́ків
до шко́ли. Нау́ка в шко́лі
йде їм до́бре.
Дід Антін — є тому́
ра́дий.

Winter. It's very cold outside. Roads are blocked by snowdrifts. Birds on trees were freezing. But at home, it's warm. Mommy is telling us stories about Cossacks. Oh, how Zenko is listening. Olenka is also listening. When Zenko grows up, he will be a Cossack. Our Zenko will make a good Cossack.

*One winter, a lot of white snow fell. Railway tracks were covered with snow. Vehicles stopped. In cities, there was no wood for heating and no bread. On railway tracks work was boiling. The workers shoveled the snow in piles. They were clearing the tracks. Soon they set the railway back in motion and brought fuel and food.*

*Scan this QR code for the Ukrainian translation of this paragraph.*

# з З

Зима́. На дворі́ моро́з. Завія́ло доро́ги. Поме́рзли пташки́ на де́ревах. А в до́ма те́пло. Ма́ма розка́зує нам про козакі́в. О, як Зе́нко слу́хає. І Оле́нка слу́хає, а Іри́нка засну́ла. Зе́нко, як ви́росте, — бу́де козако́м. З на́шого Зе́нка бу́де хоро́ший козак.

Tonight is Christmas Eve. The house is newly decorated. The table is set. Daddy put some hay on the table and on benches. In the corner of the table Daddy put Grandpa. Simen brought a tree into the house. The tree is so beautiful. Yaroslav is decorating it. I am helping him.

*Simen brought a tree for Christmas Eve. Yaroslav and Natalka decorated it very nicely. They hung on the tree apples, nuts, little rabbits and other toy ornaments. At the top, they placed an angel and a star. During the evening, the tree was lit. Everyone was happy to gather at the table.*

*Scan this QR code for the Ukrainian translation of this paragraph.*

# С Я

Нині Святий Вечір. Хата чисто прибрана. Стіл застелений. На столі й на лавках настелили тато сіна. У кутку за столом поставили дідуха. Семен приніс до хати ялинку. Ялинка така гарна. Ярослав її убирає. Я йому помагаю.

A green frog lived in the grass. It was lively and cheerful. It had a house made of burdock and it slept there. In the evening, it went to the pond and there it sang together with other frogs. Sometimes it jumped into the water and croaked: "Ribbit, ribbit," or it quacked like a duck.

*It's spring time! The woods and meadows come to life. On rivers and ponds, frogs start to croak. Fields are turning green with rye. High above, a lark is singing. The farmer went out to the field to sow and to plow.*

Scan this QR code for the Ukrainian translation of this paragraph.

# ж Ж

Жила́ собі́ в траві́ зеле́на
жа́ба. Вона́ була́ жва́ва
і весе́ла. Ма́ла ха́тку з ло-
пуху́ і там спа́ла. Ве́чером
ішла́ над став і з дру́гими
жа́бами співа́ла.
Часо́м скака́ла в во́ду і ку́м-
кала: кум-кума́, кум-кума́,
або́ ква́кала як ка́чка.

Romchik has a bunny rabbit.
Bogdan made a cage for the bunny.
Barbarka poured milk for it into a
small bowl. Romek and Bogdan, let's
give the bunny some bread.
Or maybe we'll go into the garden.
We will pick some grass there.
The bunny will eat the grass.

*Rabbit's cage is made of sticks.*
*The bunny lives there. Romchik and*
*Bogdan brought grass for the bunny.*
*The bunny is not hungry. Romchik is*
*not letting the bunny out. Because,*
*outside, is Britan, the dog. It could*
*tear the bunny to pieces.*

*Scan this QR code*
*for the Ukrainian*
*translation of this*
*paragraph.*

# Р Б

Ро́мчик ма́є за́йчика. Богда́н зроби́в за́йчикови клі́тку. Варва́рка налила́ йому́ до ми́сочки молока́. За́йчик пє молоко́. — Ромку! Богда́не! Да́ймо за́йчикови хлі́ба. А мо́же ході́м у горо́д. Нарве́мо там трави́. За́йчик бу́де їсти й траву́.

Next to the church is a store.
Natalka comes to the store for candy.
"Give me some candy, please!"
"And how much shall I give you?"
asks the saleslady.
"Not much, three cents worth."
There comes also Yurchik with his
mommy. Yurchik's mommy buys
coffee, tea, sugar, chicory,
vinegar and cinnamon.
"Do you have any lemons?" she asks.
"There are no lemons! And here is the
school! Be well (stay healthy!)!"

*Natalka is offering us candy. She gave
three candies each to Daddy and
Mommy and she gave us one each.
Natalka has nothing left. Then Ivasik
says: I give you, Natalka, my candy! I
don't eat candy. I give the money that I
get for candy to the Ukrainian School.*

Scan this QR code
for the Ukrainian
translation of this
paragraph.

# ц Ц

Коло церкви є склеп. Наталка
прийшла. до склепу по цукерки.

— Прошу дати цукерків!

А богато дати? питає склепарка.

— Небогато, за три центи.

Тут і Юрчик з мамою.
Юрчикова мама купує каву, чай,
цукор, цикорію, оцет і цинамон.

— А цитрини не маєте?
питає. Цитрини нема!

А то шкода. Бувайте здорові!

Leska is cooking dinner. Grich, Vasil, and Ivas are helping her with her work. Grich is carrying water. Vasil kindles the fire. Little Ivas goes to the store for salt and pepper. The work is going fast. The children do not slack off. Brisko, the doggie does not slack off either. He is guarding the farm.

*Leska, Grich and Vasil are reading a book. In that book, there are beautiful stories. There are also different animals and birds: horse, bear, rabbit, deer, rooster, swan, stork. Grandpa Kost bought this book for his grandchildren in the Ukrainian bookstore.*

Scan this QR code for the Ukrainian translation of this paragraph.

# Ь

Ле́ська вари́ть обі́д.
Гриць, Васи́ль та Іва́сь
помага́ють їй при тій робо́ті.
Гриць но́сить во́ду. Васи́ль
розклада́є вого́нь. Мали́й Іва́сь
іде́ до скле́пу по сіль і пе́рець.
Робо́та поступа́є ско́ро.
Ді́ти не дарму́ють. І пе́сик
Бри́сько не дарму́є. Він пильну́є
господа́рства.

Nastunya, Dorcia and Ivas are sitting
by the house and feeding chickens.
They are scattering wheat for the
chickens and calling them,
"tsip, tsip, tsip."
And to the old hens,
they are calling, "tyu, tyu, tyu!"
Nastunya asks Ivas,
"Do you like chickens, Ivas?"
And she tells Dorcia,
"Dorcia, give the chickens some water."
Nastunia's chicken has feathers and
little wings. Nastunia also has goslings.
She calls to her gosling,
"goosyu, goosyu, goosyu!"
Nastunya is a little farm girl.

Насту́ня, До́рця та Іва́сь сидя́ть ко́ло ха́ти і году́ють куря́тка. Вони́ си́плять куря́ткам пшоно́ і кли́чуть їх: ціп, ціп, ціп! А на старі́ ку́ри кли́чуть: — тю, тю, тю!

Насту́ня пита́ється Іва́ся: — Лю́биш куря́тка, Іва́сю? — А до До́рці: — До́рцю, дай куря́ткам води́! Насту́нині куря́тка ма́ють пі́рячко і мале́нькі кри́льця.

Насту́ня ма́є тако́ж гуся́тка. Вона́ кли́че на гуся́та: гусю́, гусю́, гусю́!

Насту́ня є мала́ господи́ня.

The girls have a doll. I am amazed
how they are taking care of it.
Just like mommies with their babies.
They wash the dresses, dry them
and iron. They bath their doll,
dress it in clean clothes and take it
around in a baby stroller.
Sometimes they carry the doll in their
arms, and in the evening they sing to
put it to sleep,
"lyu-lee, lyu-lee, lyu-lee,
lyu-lee, a – a – a – a!"
These girls are Hanusya, Paranya,
Dochya, Galya and Slavtsya.

Дівча́та ма́ють ля́льку. — Диви́ся,
як вони́ ко́ло не́ї хо́дять. Немо́в
ма́ти ко́ло дити́ни. Перу́ть ля́льчине
шма́ття, су́шать його́ і прасу́ють.
Тако́ж купа́ють ля́льку, вбира́ють її́
в чи́сте пла́ття і во́зять у візо́чку.
Часо́м но́сять ля́льку на рука́х,
а ве́чером заколи́сують до сну:
— Лю-лі, лю-лі, лю-лі, лю-лі,
а — а — а — а — а!
Ті дівча́та то Гану́ся, Пара́ня,
До́ця, Га́ля і Сла́вця.

Yosip has a foal.
Oh, how beautiful the foal is!
And how lively it prances.
Yosip takes care of it himself.
He feeds it himself.
Other livestock is taken care of
by Yosip's father.
Paranka takes care of
turkeys and hens.

# И Й

Йо́сип ма́є лоша́тко.

— О, яке́ те лоша́тко га́рне! А як воно́ ско́ро брика́є. Йо́сип сам його́ догляда́є. Він сам дає́ йому́ ї́сти.

Иншої худо́би догляда́є Йо́сипів ба́тько. Инди́ків і куре́й догляда́є Пара́нька.

Rats are a huge pest. They destroy flour, cereal, grain and anything they can. Once an old rat saw a trap, and in the trap was a piece of bacon.
He called his children to him and said, "It's easy to get into the trap but to get out is difficult. People invented this trick to destroy us. Don't go there!"

*A young rat paid no heed to his father's warning. As soon as the old rat left, he ran to the trap and started looking at it. Then he went inside and wanted to bite the bacon. Suddenly the door closed and locked him in.*
*The old rat walked around the trap, gnawed at the wires of the trap, cried but he could not set him free.*

Scan this QR code for the Ukrainian translation of this paragraph.

# щ Щ

Щурі́ то вели́кі шкідники́.
Вони́ ни́щать муку́, крупи́, зе́рно
і все, що попаде́. Раз поба́чив
стари́й щур ла́пку, а в ла́пці
кава́льчик са́ла. Покли́кав до
се́бе свої́х діте́й і сказа́в:
— Влі́зти до ла́пки ле́гко, але́
ви́лізти з не́ї тру́дно. Лю́де
приду́мали ту шту́ку на те, щоби́
нас зни́щити. Не лі́зьте туди́!

Children are playing imaginary
railway. Fedus is the engineer.
Onoufrik is the ticket inspector.
Hanusia, Ivas and Petrus are the
passengers. Fudus is conducting the
train:  choo, choo, choo, choo!
Puff, puff, puff, puff!
Onoufrik calls, "Station Philadelphia.
Please get off the train. Please don't
forget your luggage!" No one gets off.
The train is moving on.

*Fedus and Onoufrik went with their*
*mommy to Philadelphia.*
*On the way there, they saw farms and*
*cities. Philadelphia is a big city in*
*America. There are many factories and*
*department stores there. Fedus and*
*Onoufrik saw beautiful toys in shop*
*windows. They bought a toy car, an*
*airplane, and a spinning top.*

Scan this QR code
for the Ukrainian
translation of this
paragraph.

# ф Ф

Діти бáвляться в залізни́цю.
Федýсь є машині́стом. Онóфрик
кондýктором. Ганýся, Івáсь та
Петрýсь подорóжними. Федýсь ведé
пóтяг: — Шш, шш, шш, шш!

— Фа, фа, фа, фа!

Онóфрик викликáє: — Стáція
Філядéлфія! Прошý висідáти.
Прошý не забýти пакýнків!
Ніхтó не висідáє. Пóтяг рушáє
дáльше.

For us, our house is beautiful and nice. In front of our house is a porch. The roof of the porch is covered with clay tiles. The tiles are attached to the roof with nails. On the porch sit Genia, Paranya and Pavlus. Each of them is busy with something. Genia is reading the newspaper, Paranya is embroidering a handkerchief, and Pavlus is playing with the doggie.

# ґ Ґ

Наша хата є нам гарна й мила.
При нашій хаті є ґанок. Ґанок
покритий ґонтами. Ґонти прибиті
ґонталями. На ґанку сидить
Ґеня, Параня і Павлусь. Кожне
є чимось зайняте.

Ґеня читає ґазетку. Параня
вишиває хустину, а Павлусь
бавиться з песиком

Little Evgen lives in Edmonton.
Edmonton is a city in Canada.
Evgen goes to school there. There is
a Ukrainian School in Edmonton.
Little Evgen also speaks English.
Evgen also goes to English school.
At home, Evgen speaks Ukrainian.
Evgen is Ukrainian.

*Edmonton and Winnipeg are cities in
Canada. There are Ukrainian schools,
churches and bookstores there.
Many Ukrainians live in Edmonton
and Winnipeg. In Canada there
are many more beautiful cities like
Edmonton and Winnipeg. Canada is
the country where I was born.*

Scan this QR code
for the Ukrainian
translation of this
paragraph.

# Е Є

Малий Євге́н живе́ в Едмонто́ні.
Едмонто́н — то мі́сто в Кана́ді.
Євге́н хо́дить тут до шко́ли.
В Едмонто́ні є украї́нська шко́ла.
Малий Євге́н зна́є тако́ж
і англі́йську мо́ву. Євге́н хо́дить
і до англі́йської шко́ли.
До́ма гово́рить Євге́н по
украї́нськи. Євге́н Украї́нець.

# дз Дз

В нашій школі висить на стіні
образ. На образі бачимо церкву, а
коло церкви дзвіницю. На дзвіниці
стоїть дзвонар та й дзвонить.
Під дзвіницею зробили хлопці
вежу. Коло церкви бавляться
дівчата галілок. На тім образі
зображені великодні забави у
старім краю.

In our school, there is a picture hanging on the
wall. In this picture, we see a church and next to
the church is a belfry. A bell-ringer is standing
in the belfry and ringing the bell. Next to the
belfry, boys are making a pyramid. Next to the
church, girls are dancing gholilok. This shows
Easter celebrations in the old country.

# дж Дж

В на́шій шко́лі є ще й и́нші
обра́зи. На одно́му з них ба́чимо
го́ри. На го́рах росту́ть де́рева.
На доли́ні під го́рами лупа́ють
робі́тники джаґана́ми скалу́. Зі
скали́ бу́де ка́мінь на будо́ву дорі́г.
В одні́м мі́сці робі́тники натра́пили
на джерело́. З джерела́ пливе́
джере́льна вода́. Той о́браз малюва́в
школя́р Джи́ґало з пя́тої кля́си.

There are also other pictures in our school. On one
of them, we see mountains. Trees are growing on the
mountain sides. In the valley, workers are splitting rocks
with pickaxes. The stones made out of these rocks will be
used to build roads. In one spot, the workers discovered
a spring. Spring water is flowing from the spring. This
picture was drawn by Dzigalo, a student in grade 5.

Petrus and Yurchik are
visiting with Ivanek.
They brought him a gift,
a wooden horse.
Mariyka is serving dinner
to the guests.
She is inviting everyone to eat,
"Eat and drink, my dears!"
Petrus is teaching Ivanek to ride
the horse. Riding the horse is fun.
The horse is running fast and
does not shake.
Yurchik is singing by his side,
"On a horse I ride, ride.
No one by my side, side."

# Ї

Петру́сь і Юрчик приї́хали до
Іва́нка в гости́ну. Приве́зли йому́
в дару́нку деревля́ного коня́.
Марі́йка подає́ го́стям обі́д. Вона́
припро́шує до їди́:
— Ї́жте, пи́йте, мої́ лю́бі!
Петру́сь учи́ть Іва́нка ї́здити на
коні́. Ї́зда коне́м є приє́мна.
Ко́ник ско́ро ї́де і не трясе́.
Юрчик приспі́вує збо́ку:
— Ї́де, ї́де, пан, пан,
На ко́нику сам, сам!

## Моя родина.

Найліпше мені в рідній хаті. Тут живуть тато, мама і брат. То моя родина. У родині найстарший тато. Він працює для неї. Ми всі його слухаємо. Мама порядкує в хаті. Батько й мати нас люблять і ми їх любимо. Щоб ми без них робили, хто би про нас старався.

**My Family.** I am most happy in my family home. My Daddy, my Mommy and my brother live here. This is my family. In my family, Daddy is the oldest. He is working to support the family. We all listen to him. Mommy keeps the house in order. Dad and Mom love us and we love them. What would we do without them, who would take care of us?

### Орися.

В саду́ — садо́чку
Ви́росла кали́на,
Со́нце її грі́є,
До́щик леліє.

    В біле́нькій ха́тці
    Ви́росла Ори́ся,
    Ба́тько її лю́бить,
    Не́нечка голу́бить.

### Orysya

In the gardy-garden | Guelder rose grows
The sun sheds warmth on it | And the rain nurtures.

In the white house | Orysya was brought up
Father loves her | Mommy caresses.

# Поворот додому.

Чи бачиш, що хтось їде дорогою? Я знаю, хто то такий. То мій батько. Я буду на нього махати рукою. О, він мене побачив і також махає на мене.

Він поїхав нині на цілий день до міста. Взяв з собою коні й візок. Я знаю, він купив мені щось. Він обіцяв привезти мені книжку з образками. Піду й відчиню ворота. Потім вибіжу йому назустріч. Він мене візьме на візок. А може позволить мені поганяти коні.

**Returning Home.** Do you see that someone is walking on the road? I know who that is. It is my Dad. I will wave my hand at him. Oh, he saw me and is waving back at me.

He was in town all day today. He took with him horses and the wagon. I know that he bought me something. He promised to bring me a picture book. I will go out and open the gate. Then I will run towards him. Then he will let me get on the wagon. And maybe he will let me steer the horses.

# Моя мама.

Снилось мені ясне сонце,
Що в хаті світило,
А то рідна матусенька
Всміхнулась так мило.

Приснивсь мені легкий вітрик,
Що пестив колосся,
А то мені моя мама
Гладила волосся.

Снилась мені ягідочка,
Як мід солоденька,
А то мене цілувала
Мама дорогенька.

Снились мені янголики,
Що в рай мене взяли,
А то ручки матусині
Так мене обняли.


## My Mommy

I was dreaming about a bright sun | That shone in the house –
That was my mommy | Beaming at me sweetly.

I was dreaming about a light breeze | That petted the ears –
It was my mommy | Caressing my hair.

I was dreaming about a berry | That was sweet as honey –
It was a kiss | From my dear mommy.

I was dreaming about angels | Who took me to heaven –
Those were my mommy's arms | Embracing me.

## Колисанка.

Спи, дитинко, спи,
Очка зажмури;
Спить вже пташка у гніздочку,
А квіточка у садочку,
Спи, дитинко, спи!

Спи, дитинко, спи,
Очка зажмури;
Прийди, сонку, до дитинки,
Стули очка аж до днинки,
Спи, дитинко, спи!

Спи, дитинко, спи,
Очка зажмури;
Встане сонце, пташку збудить,
Встане дитя, гратись буде,
Спи, дитинко, спи!

## A Lullaby

Sleep, baby, sleep | Close your eyes;
A bird is already sleeping in the nest,
And a flower, in the patch | Sleep, baby, sleep!

Sleep, baby, sleep | Close your eyes;
Slumber, come to little baby | Close her eyes until the daytime,
Sleep, baby, sleep!

Sleep, baby, sleep | Close your eyes;
The sun will rise and a bird will wake
The child will wake up and start to play | Sleep, baby, sleep!

# Марусина лялька.

Маруся має ляльку. Вона її назвала Доцею. Доця є велика й гарна лялька. Має жовте волосся і червоне личко. При тім є дуже послушна. Де її Маруся положить, там вона лежить. Де її поставить, там стоїть. І все лиш на Марусю дивиться своїми, зі-

кратими очима. Маруся любить свою ляльку і цілий день з нею бавиться. Навіть у ночі з нею спить. Рано, як іде снідати, то бере ляльку, садовить коло себе і розмовляє з нею.

— Хочеш, Доцю, молочка, чи кави?

І зараз до мами:

— Мамусю, прошу дати ляльці молока, бо кава дітям нездорова!

Часом кладе Маруся ляльку в візок і везе її на двір. По дорозі навчає, як треба на вулиці заховуватися.

— Бачиш, каже Маруся до ляльки. То є песик. Він може вкусити. Його не треба зачіпати.

— А то є а́вто. Воно́ ду́же шви́дко їде і мо́же чоловіка переї́хати. Йому́ тре́ба ско́ро зійти́ з доро́ги.

Де́коли знов во́зить Мару́ся свою́ ля́льку по кімна́ті сюди́ й туди́ і приспі́вує їй до сну:

— Колиса́ла ма́ти до́чку
Під ви́шнею, у садо́чку:
— Ой спи, до́ню, спи мале́нька,
Ко́ло те́бе твоя́ не́нька.

**Marusya's Doll.** Marusya has a doll. She calls her doll "Dosya." Dosya is a big and beautiful doll. She has yellow hair and rosy cheeks. She is also very well behaved. Where Marusya lays her down, there she lies. And where Marusya puts her, there she stands and only watches Marusya with her half-closed eyes. Marusya loves her doll and plays with her all day. She even sleeps with her at night. In the morning, when she goes for breakfast, she takes the doll, sits next to her and talks to her.

"Dosya, would you prefer milk or coffee?" And then, immediately, she says to her mommy, "Mommy, please give my doll some milk because coffee is not healthy for children."

Sometimes Marusya puts the doll into a stroller and takes her outside. On the way, she teaches her how to behave in the street.

"Look," says Marusya to her doll. "This is a doggie. It can bite. Don't provoke it. And this is a car. It drives very fast and it can run people over. This is why you need to quickly get out of its way."

And again sometimes Marusya pushes her doll here and there around the room and sings her to sleep—

Mother rocks her baby daughter | Under a cherry tree, in the orchard Sleep, my dear, sleep my little | Your mommy is here with you.

# Наш дідусь.

Дідусь наш старенький,
Як голуб сивенький,
По садочку ходить,
Та своїх унучків
За дрібненькі ручки
Стежечками водить.

Водить стежечками,
Бавить казочками
Про давнії діла —
Дідусь наш старенький
Як голуб сивенький,
Головочка біла.

## Our Grandpa

Our old grandpa | Is silvery as a dove
Going through the garden |With his grandchildren
Holding their little arms | And walking on the paths.
Walking them through pathways
Telling them old stories
About the things from the past—
Our old grandpa | Is silvery as a dove
His head is white.

## Бабуся і внучка.

Бабу́ся ма́ла внучку. Внучка була́ мале́нька і за-є́дно спа́ла. Бабу́-ся пекла́ хліб, пря-тала в ха́ті, ши́ла, пра́ла і доглядала внучки.

Прийшо́в час, що бабу́ся зовсім поста́рілася і сиді́ла в те́-плій ха́ті. Тоді внучка пекла́ хліб, пря́тала в ха́ті, ши́ла, пра́ла і доглядала бабу́сі.

## Grandmother and Granddaughter

A grandmother had a granddaughter.

The granddaughter was very little and slept all the time.

Grandmother baked bread, cleaned the house, sewed, washed and looked after the granddaughter.

The time came when the grandmother got old and only sat in her warm house.

Then, the granddaughter

　　baked bread,

　　　　cleaned, sewed, washed

　　　　　　and took care of her grandmother.

## Бабусині казочки.

Печу́, печу́ хлі́бчик,
Ді́тям на обі́дчик,
А бі́льшому — бі́льший,
А ме́ншому — ме́нший.
Печу́, печу́ па́пку,
Всаджу́ на лопа́тку,
Шур — шур у піч!

Соро́ка - воро́на
Ді́тям ка́шу вари́ла,
На поро́зі студи́ла,
У го́рщику міша́ла,

Свої́м ді́тям каза́ла:
— Іді́ть, ді́ти, по трі́ски,
Дам вам ка́ші на миски́.
То́му да́ла, то́му да́ла,
Сама́ го́рщик ви́шкробала,
Фур - р - р! полеті́ла.

## Grandma's Tales

I'm baking, baking bread | For children to eat,
For the older – bigger | For the younger – smaller,
I'm baking, baking cake | Putting on a spade,
Swish – swish to stove!
Magpie-crow | Cooked gruel for a child
Cooled it down on a doorstep | Stirred it in a pot,
Then she told her children | Come, children, bring the
wood And I'll fill your bowls
Here you go, and there you go
Scraped out cauldron on her own
Swoo-o-o-sh! Flew away.

## Пригода киці.

Ой пі́диж ти, ки́цю,
Піди́ по води́цю.

Ті́льки до́бре уважа́й,
Не впади́ в керни́цю.

Пішла́ киця по води́цю,
Та й упа́ла вділ, в керни́цю,
Прийшо́в ко́тик ратува́ти,
Уже́ ки́ці не вида́ти.

Ви́тяг ки́цю за ву́хо,
Та й положи́в, де су́хо.
Лежи́ж, ки́цю, ту́та,
А я знайду́ пру́та.

Іще́ пру́та не знайшо́в,
А вже ки́ці не найшо́в.

## Kitty's Adventure

Go, kitty, go | Fetch from well some water
But be careful – | Don't fall in.

Kitty wandered for some water | But she fell down the well,
Cat couldn't see her anymore | He came there to rescue her.

Dragged her out by the ear | Put her down on a dry place near
"Lay down, kitty, here | I will fetch the stick."

Kitty ran away from there | While he searched for a stick.

# Відважні миші.

В однім господáрстві був кіт. Він ло]
мúші. Мúші його стрáшно боялися. Вонú

брáлися раз на нарáду і постановúли п
вязáти котóви дзвінóк до шúї.

Як кіт бýде мáти на шúї дзвінóчок,
то бýде дзвонúти, а вонú почýють і втечýть.
Кіт їх не злóвить. І мúші вже наперéд тим
тíшилися.

Алé як прийшлó до тóго, щоб завíсити
котóви дзвінóк, то не булó кому, бо кóжна
мúшка боялася.

І кіт ловúв мúші дáлі.


### Brave Mice

There was a cat on a farm. It chased mice. Mice were
very afraid of it. They got together for a council and
decided to tie a little bell on the cat's neck.
When the cat has a little bell around its neck, the bell
will ring, they will hear it and flee. The cat will not catch
them. And the mice looked forward to that.
But when it came to hanging the bell on the cat, there
was no one to do it because every little mouse was
afraid. And so the cat continued to chase them.

## Малі робітники.

Діти хатку будують,
Місять глину, валькують;
Гриць побіг до керниці,
Бо не стало водиці.

Луць вистругує лавичку,
Яць задовбує поличку,
Стець вирізує віконце,
Щоби в хату гріло сонце.

Галя місить паланиці,
Приправляє печериці,
Бо робітники голодні,
Працювати вже негодні.

### Little Workers

Children are building a house
Kneading clay, spreading over | Gryts ran to the well,
Because they ran out of water.
Luts is planing out a bench | Yats is chiseling a shelf,
Stets is carving out the window
For the sun to light the house.
Galya's kneading dough | Cooking mushrooms,
Because workers are hungry
Can't continue working anymore.

# Забава в коней.

Діти бавилися в коней. Юрчик був погоничем. Івась і Петрик були кіньми. Юрчик запряг свої коні в упряж, тримав за поводи і поганяв. Від часу до часу витрáскував батіжком і говорив до хлóпців, як до кóней:

— Вісьта, кóні, вйо, Сивий! Хлóпці бігли дорóгою і, підскáкуючи, наслідували кóней. Такóж іржáли хлóпці так, гей би спрáвжні кóні:

— І-гі-гі-гі!

А як прибігли над річку, Юрчик зупинив їх і крикнув: тпру-у-у, гов! І кóні стáли.

Він їх випряг і повів до води. Хлóпці удавáли, що пють Коли понапивáлися, пішли на травý, полягáли і ніби пáслися.

**Horse Play.** Children were playing horses. Yurchik was the coachman. Ivas and Petrik were horses. Yorchik put the harness on the horses, held the reins, and goaded the horses. From time to time, he waved the whip and talked to the boys as if they were horses, "Giddy-up, horses, giddy-up, grey one!" The boys were galloping on the road, jumping around, and pretending to be horses. The boys also neighed like real horses, "Neigh-neigh-neigh!" And when they came to the river, Yurchik pulled the reins and called, "Whoa!" and the horses stopped. He unharnessed them and led them to the water. The boys were pretending to drink. When they finished drinking, they went on the grass, lay down and pretended to graze.

## Віршик про Лялю.

Лялюся маленька
До вогню все пхалась.
— До вогню не пхайся,
Мамуся казала.

— Можеш спечи пальчик,
І кеньцю спалити,
А то буде буба,
Пальчик буде гнити.

Лялюся навмисне
В огонь пальчик пхала,
А як попеклася,
Плакати почала.

Від тепер мамусі
Послушною стала,
Пальчик загоївся, —
Від вогню тікала.

## A Poem About Baby

Little baby | Tried to touch the fire
"Do no touch the fire," said her mother.

"You will burn your finger, and burn your nail
There would be a wound and finger would rot.

Baby on purpose | Put her finger into fire
And when she burnt it | Started to cry

And now baby | Obeyed her mommy
The finger healed
And now she avoids fire.

# Кицька і курятко.

В однім домі жила собі раз стара́ ки́ць-ка, ма́ти. Ма́ла вона́ мало́го ко́тика, синка́. Було́ то ду́же га́рне й поті́шне котя́. Ма́ло бі́лу шерсть, чо́рні о́чка і роже́вий но́сик.

Все вганя́ло по ха́ті й по дворі́, ба́вилося з діть-ми́, або́ сиді́ло в кутку́ і муркота́ло. Іва́сь і Насту́ня ма́ли з ньо́го поті́ху.

Я́кось раз ба́вився наш ко́тик на подві́рю та й десь пропа́в. Де — того́ ніхто́ не знав. Що вже ді́ти за ним не нашука́лися, що не нарозпи́тувалися, — ніде́ не могли́ його́ найти́ і ду́же шкодува́ли.

А вже найбі́льше тужи́ла за синко́м ста-ра́ ки́цька, ма́ти. Нічо́го не ї́ла, була́ смутна́ і заєдно ня́вкала.

Одного́ ра́зу вона́ лежа́ла на мура́ві і вигріва́лася до со́нця. Нара́з ди́виться, аж

біжи́ть до не́ї куря́тко. Мале́, опу́щене куря́т-ко, сирі́тка, що не ма́ло ма́ми. Прилеті́ло до ки́цьки, ста́ло собі́ ко́ло не́ї, та й нуж її́ дзьо́бати, — то в го́лову, то в у́шка, то в ніс.

Алé кицька терпíла і на курятко не гні-
валася. Курятко побáчило, що кицька на
ньóго не гнíвається, сíло собí кóло нéї і си-
дíло. Кицька булá рáда, що курятко сíло
собí кóло нéї.

І курятко булó рáде.

І так то опýщена сирíтка найшлá опý-
щену мáтір.

**The Old Cat and the Chicken.** There was once a mother cat that lived
in a house. She had a little kitten, her son. He was a very beautiful and
funny kitten. He had white fur, black eyes and a pink nose. All day, he
ran around in the house and outside, played with the children or sat in
the corner and purred. Ivas and Nastunya had a lot of fun with him.

One day, our kitten was playing outside, where he disappeared –
to where, nobody knew. The children looked for him everywhere and
asked around, but they could not find him anywhere and were very sad.

But it was the old mother cat who missed her son most. She did
not eat anything, was sad and meowed.

One day, she lay on the grass and bathed in the sun. Suddenly she
saw a little chicken approaching her. It was a little abandoned chicken,
an orphan, who did not have a mommy.

It came to the mother cat, stood next to her and started to peck
her, once on her head, then on her ears, then on her nose.

But the mother cat was patient and did not get angry at the
chicken. The chicken saw that the cat was not angry at it, sat down next
to the cat and stayed sitting there. The cat was happy that the chicken
was sitting next to her.

And the chicken was happy. This was how an abandoned orphan
found an abandoned mother.

# Віршик.

Два когути червоненькі
Жито молотили,
Дві курочки чубатенькі
До млина носили.

Бородатий цапок меле,
Коза насипає,
А маленьке козенятко
Мірки відбирає.

Му́ха мі́сить, му́ха мі́сить,
Кома́р во́ду но́сить,
Ки́цька пече́ бохоня́тка,
А кіт бо́га про́сить.

Сі́ла сова́ на поли́цю —
Чі́пчик вишива́є,
А горо́бчик, га́рний хло́пчик,
На скри́почці гра́є.

А воро́ни, до́брі жо́ни,
Пішли́ танцюва́ти,

Злеті́в крук, вхопи́в друк,
Та й став розганя́ти.

**A Poem**

Two red roosters | Threshed the rye
Two pullets with curly combs | Took the rye to the mill.

Bearded billygoat's grinding | Nannygoat pouring in,
And kiddie-goat is | Sorting it out.

Fly is kneading, fly is kneading | Gnat brings the water
Pussy's baking buns | And cat is praying.

The owl's sitting on a shelf | Sewing a bonnet,
And a sparrow, lovely boy | Is playing on a fiddle.

And the crows, pretty ladies | Started dancing,
Raven took off, grabbed a twig
And started dispersing them.

## Ягнятко.

Га́ля ма́ла ягня́тко. Воно́ було́ ціле́ бі́ле, а на ши́ї ма́ло си́ню стя́жечку. Га́ля ду́же полюби́ла своє́ ягня́тко, бо воно́ було́ пеще́не, йшло до рук і ба́вилося з не́ю.

Ягня́тко тако́ж привяза́лося до Га́лі і скрізь за не́ю, як пе́сик, ходи́ло. Де Га́ля, туди́ й ягня́тко.

Одно́го ра́зу пішло́ ягня́тко за Га́лею аж до шко́ли. Вра́дувані ді́ти поча́ли з ним ба́витися. Вони́ дава́ли йому́ хлі́ба, пести́ли його́, бра́ли на ру́ки.

Якра́з тоді́ ввійшо́в до кля́си учи́тель і каза́в ягня́тко ви́гнати надві́р.

Але́ ягня́тко дале́ко від шко́ли не відходи́ло. Воно́ ба́вилося на подві́рю, підска́кувало і брика́ло так до́вго, аж до́ки не зяви́лася Га́ля.

**The Lamb.** Galya had a lamb. It was all white and had a blue ribbon around its neck. Galya got very attached to her lamb because it liked to cuddle, came when she called, and played with her.

The lamb also got attached to Galya and followed her like a dog. Where Galya went, there went the lamb.

Once, the lamb followed Galya all the way to school. The children were happy and started to play with it. They gave it bread, pet it, and carried it in their arms.

Just then the teacher entered the classroom and ordered the lamb outside. But the lamb did not walk far away from the school. It played in the yard, jumped and kicked around happily until Galya came back.

## Пісня.

Ку́ку! ку́ку! чу́ти в ліску́,
Ході́м співа́ймо,
І повита́ймо
Бо́жу весну́.

Ку́ку! ку́ку! чу́ємо все,
Га́єм, лісо́чком,
Бо́ром, пото́чком
Го́лос гуде́.

Ку́ку! ку́ку! пта́шко мала́,
Ти нам співа́ла,
Пра́вду сказа́ла,
Ще́зла зима́.

## A Song

Cu-ckoo! cu-ckoo! One can hear in the forest
Let's go and sing
And greet
The God's spring.

Cu-ckoo! cu-ckoo! We can hear everything
Through grove and woods
Forest and stream
The voice flows.

Cu-ckoo! cu-ckoo! Little bird
You were singing us
Told the truth
The winter vanished.

# Голуби.

Петру́сь і Окса́на купи́ли собі па́ру голубі́в. Вони́ доглядáли їх як о́ка в голові́. Щодéнь давáли голубáм зéрна та води́. На вéсну голу́бка знесла́ двóє яéчок і почáла на них сиді́ти. За якийсь час ви́сиді́ла па́ру голубеня́т.

Ах, якáж то булá втíха для дітéй. Голубеня́та скóро росли́. Спершу́ вони́ були́ гóлі, а пóтім почáли діставáти пíрячко. Коли́ підросли́, вчи́лися літáти. Старí голуби́ ду́же дбáли про свої́ дíти. Вони́ годувáли їх нáвіть тоді́, як ті були́ вже упíрені. Петру́сь і Окса́на щодéнь рáно заглядáли до гнізда́. Чéрез лíто ви́годували вони́ собі кíлька пар голубі́в. Мáли і приéмність і грóші.

23. **Pigeons.** Petrus and Oksana bought a pair of pigeons. They were taking good care of them. Every day, they gave the pigeons grain and water. In the spring, one of the pigeons laid two eggs and began to sit on them. After some time, a pair of baby pigeons hatched.

Ah, what joy was it for the children. The little pigeons were growing fast. At first their skin was bare and then they started to grow feathers. As they were growing, they were learning to fly. The old pigeons took good care of their children. They still fed them even when they had all their feathers. Petrus and Oksana looked into the nest every morning. Over the summer, they raised several pairs of pigeons. They enjoyed themselves and made money.

## Дитина і яблунька.

Ой чому́, чому́ ти,  
Яблуньочко ми́ла,  
Не цви́ла, соло́дких  
Яблук не зроди́ла?

Тому́ я не цви́ла,  
Яблук не зроди́ла,  
Бо ти ко́ло ме́не  
Пи́льно не ходи́ла.

Мене́ не підли́ла,  
Про ме́не не дба́ла,  
Тому́ я, дити́нко,  
Яблучок не да́ла.

Ой бу́дуж тепе́р я  
Тебе́ підлива́ти,  
Червачкі́в збира́ти,  
Та про те́бе дба́ти.

Зате́ я, дити́нко,  
Тобі́ нагоро́джу —  
І на́рік соло́дких  
Яблучок заро́джу.

## A Child and Apples

Oh, why, why you | Dear apple-tree  
You haven't blossomed | Never gave sweet apples?

I hadn't blossomed | And never gave apples  
Because you have never | Taken care of me.

You've never watered me | Haven't looked after,  
That's why, child | I never gave apples.

Oh, now I will water you  
Clean up worms, and nurture you.

For that, child, I will reward you –  
In a year I will give you  
Sweet apples.

## В школі.

Діти прийшли перший раз до школи. Ганя плакала, бо не хотіла сама остати без мами. Діти сміялися з неї, а Маруся сказала:
— Не бійся, ти між своїми!
Ганя трохи успокоїлася і почала розглядатися по клясі. Глянула на стіну і побачила гарні образи. На одному з них був намальований садок, а в садку зривали яблука. В шафі крізь скляну шибу видно було маленьку кімнатку для ляльки. Було в ній ліжко, стіл і крісло. За столом сиділа мала ляля і читала книжечку.
Сонце ясно світило.
Ганя побачила, що в школі не страшно.

**At School.** The children went to school for the first time. Hania was crying because she did not want to stay without her mommy. The children were laughing at her but Marusya said, "Don't be afraid, we are all in this together!"Hania calmed down a little bit and started to look around. She looked at the wall and saw beautiful pictures. In one picture, there was an orchard and, in the orchard, there were people picking apples. In the cupboard, she could see a little doll house through the glass. In it was a bed, a table and a chair. At the table sat a little doll reading a book. The sun was shining brightly.
Hania realized that school was not so terrible.

## On the Farm

Les lives in the city. Once, during dinner, his daddy said to his mommy, "Tomorrow we shall go to Grampa's farm."

Les heard it and began to beg, "And me, Daddy? Will you also take me to the farm?"

"Won't you be scared? There are hens, geese, sheep, cows and horses at the farm…"

"Oh, no, I am not afraid of anything," said Les but no longer as loudly and surely.

On the following day in the morning, they got on a train and went to the farm. They travelled for several hours and by midday they arrived at their destination. How happy were Grampa and Granny when they saw their grandchildren!

In the afternoon, Les went to the yard. He wanted to see the sheep, horses and cows that his daddy was talking about back home. Suddenly a big red bird with a fleshy comb flew in. It flapped its wings and crowed, "Cock-a-doodle-doo."

Les got scared and quickly ran to his Granny.

Do you know, children, what frightened him so much?

## На фармі.

Лесь живе́ в мі́сті. Раз при обі́ді ка́жуть та́то до ма́ми:

— За́втра пої́демо до ді́да на фа́рму.

Лесь зачу́в те і став проси́ти:

— І я, тату́сю, пої́ду з ва́ми на фа́рму!

— А не бу́деш ти боя́тися? Бо на фа́рмі є ку́ри, гу́си, ві́вці, коро́ви й ко́ні...

— О, ні, я нічо́го не бою́ся, — ка́же Лесь, але́ вже не так го́лосно й пе́вно.

На дру́гий день ра́но всі́ли вони́ до залі́зниці і пої́хали на фа́рму. Їхали кі́лька годи́н і на полу́дне були́ вже на мі́сці. Якже зраді́ли діду́нь та бабу́ня, коли́ поба́чили свої́х уну́ків.

По полу́дні ви́йшов Лесь на подві́ря. Хоті́в поба́чити ві́вці, ко́ні й коро́ви, про котрі́ та́то в до́ма зга́дували.

Нара́з ви́летів на плі́т вели́кий черво́ний птах, що мав на голові́ мяси́стий гре́бінь. Він злопоті́в кри́льми́ і запі́яв го́лосно: ку-ку-рі-ку!

Лесь уно́ги і скоре́нько прибі́г до бабу́ні.

Чи зна́єте, ді́ти, кого́ він перестра́шився?

## Ukrainian Farm

Far away from the city, there is a farm. Our Ukrainian settlers live here. They came from Ukraine, logged the forests, built houses and farm buildings. They cultivated the soil and made it into a fertile field. This is how the Ukrainian farm was established.

Now it is really nice here. A beaten road runs across the farm. There is an orchard and a vegetable garden on the farm. Behind the garden is a field. In the field, a thresher is threshing the grains. There is also a Ukrainian church near the farm. Next to the church is a school. Every day, children from neighboring farms come here to learn. They are learning to read, write, speak and sing in Ukrainian. They also learn to love Ukraine. They are being raised to become good Ukrainians.

# Українська фарма.

Далеко за містом є ф а́р м а. Колись там пустарі були. Тепер на́ші українські посе-

ленці живу́ть. Прийшли з Украї́ни, ви́рубали ліси́, поста́вили доми́ й господа́рські буди́нки.

Спра́вили зе́млю і замінйли її в родю́че по́ле. Так повста́ла українська фа́рма.

Тепе́р там га́рно. По́при фа́рму веде́ би́тий шлях. На фа́рмі є садо́к і яри́нний горо́д. За горо́дами по́ле. На по́лі молоті́льня моло́тить збі́жжа.

На фа́рмі є тако́ж українська це́рква. При це́ркві шко́ла. Ді́ти з сусі́дніх фарм прихо́дять сюди́ щоде́нно на нау́ку. Вони́ вча́ться по українськи чита́ти, писа́ти, говори́ти та співа́ти. Вча́ться тако́ж люби́ти Украї́ну. Вони́ вихо́вуються на свідо́мих Украї́нців.

## Little Ukrainian Girl

I'm a little Ukrainian girl,
And my mommy and daddy are Ukrainians,
Our whole family is Ukrainian,
And Ukraine is our Mother.

I would not forget my homeland,
Nor our trident, symbol of our ancestors,
Nor our flag of blue and yellow,
Nor the glory of Ukraine.

Though I am still too young,
I will keep it in my heart.

When I grow up
I won't be afraid of labour and disaster
I will help my brothers,
And work for my Country.

And for now, I will be learning
To do the work and all the labour,
So everybody will know,
That I am a lively Ukrainian.

## Native Language

My language is called Ukrainian. I care about it very much. I first learned my language from my mother. Also the teacher at the Ukrainian school taught me the language. I love Ukrainian more than any other language in the world. I will never forget my native language.

# Мала Українка.

Українка я мале́нька,
Украї́нці ба́тько й не́нька.
Украї́нці вся роди́на,
Всім нам ма́ти Украї́на.

Не забу́ду про край рі́дний,
Про наш трйзуб, знак прадідний
Про прапо́р наш жо́вто-си́ній,
Та про сла́ву Украї́ни.
Хоч я ще така́ мале́нька,
Все те вмі́щу до серде́нька.

Як я вйросту велйка,
Не зляка́юсь тру́ду, лйха,
Бу́ду брата́м помага́ти
Для Вкраї́ни працюва́ти.

А тепе́р я вчйтись бу́ду
То́ї пра́ці, того́ тру́ду,
Щоб зроста́ла до́бра сла́ва,
Що Вкраї́нка з ме́не жва́ва.

# Рідна мова.

Моя́ мо́ва зве́ться українською. Я її ду́же шану́ю. Свої́ мо́ви я навчи́вся найпе́рше від ма́тері. То́ї мо́ви вчйть мене́ тако́ж учи́тель в украї́нській шко́лі. Українська мо́ва найми́ліша мені́ за всі мо́ви в сві́ті. Ніко́ли не забу́ду рідної мо́ви.

## Ukraine

Far, far away from here, somewhere in the East
– is my native land – Ukraine. In Ukraine live
people just like me, Ukrainians. Very many
of them live there and they take care of wide
expanses of fertile soil.

I don't know yet about that far away country,
Ukraine; I have only heard of it from the stories
I have been told. My Dad tells me that Ukraine is
a big and rich country. It is a warm and beautiful
country. In Ukraine, the orchards are already
in bloom and nightingales sing. Summers in
Ukraine are so beautiful that even grapes grow
and ripen. Our teacher shows us Ukraine on the
map. He tells us about Ukrainian villages, cities,
and rivers. The biggest and oldest city in Ukraine
is Kyiv. The biggest Ukrainian river is Dnieper.
It flows from the North to the South and runs
through Kyiv into the Black Sea.

Our Ukraine is big and beautiful. And even
though it is far away, I have never stopped loving
it. I always think of it.

I shall diligently learn Ukrainian language.
And when I grow up, I will work for Ukraine. And
maybe one day I shall travel to Ukraine.

# Україна.

Далеко звідси, дуже далеко, десь туди на сході, — є мій рідний край, — Україна. В Україні живуть такі самі, як і я, Українці. Живе їх там велика сила, — і займають вони „широкі простори урожайної землі.

Я ще не знаю того далекого краю, України, тільки чув я про неї з оповідань. Оповідає мені мій батько, що Україна є край великий і багатий. А до того гарний і теплий.

Київ. Вид на Собор св. Софії.

На Україні вже в квітні сади цвітуть і соловейко співає А літо на Україні таке красне, що там росте і дозріває виноград. Учитель показує нам Україну на мапі. Він оповідає про українські села й міста та ріки. Найбільше й найстарше місто на Україні — Київ. А найбільша ріка українська Дніпро. Пливе вона з півночі на південь попри Київ і вливається до Чорного моря.

Велика і красна наша Україна. І хоч вона далека, — ніколи не перестаю її любити. Завжди про неї думаю.

Буду вчитися пильно української мови. А як виросту великий — працюватиму для України. А може й поїду колись на Україну.

## Taras Shevchenko

This is Shevchenko. He is our Ukrainian Father. He stands high above us in our school, looking down over us with kind eyes. We speak about him with respect. Shevchenko is the greatest son of Ukraine. He loved Ukraine very much. He worked and suffered for it. Shevchenko was a great Ukrainian writer. He composed beautiful poems. He described the glory of Ukraine in them.

Every year we celebrate his memory. We decorate the school hall with greenery and flowers, and we decorate Shevchenko with embroidered scarves. We celebrate Shevchenko by doing speeches, singing songs and reciting poetry.

We all try to follow in Taras Shevchenko's footsteps. We love Ukraine and we work for it like Taras Shevchenko did.

## Тарас Шевченко.

То Шевче́нко. То наш ба́тько украї́нський. Стої́ть собі́ в шко́лі на підви́сшенні і споглядає на нас до́брими очи́ма. Гово́римо про ньо́го з поша́ною. Бо Шевче́нко був найкра́щий син Украї́ни. Він Украї́ну ду́же люби́в. Він для не́ї працюва́в і за не́ї терпі́в. Шевче́нко був вели́кий украї́нський письме́нник. Він уклада́в кра́сні ві́рші. В них оспіва́в він сла́ву Украї́ни.

Щоро́ку святку́ємо його́ па́мять. Прибира́ємо шкі́льну са́лю зе́ленню і кві́тами, а Шевче́нка виши́ваними рушника́ми. Слави́мо Шевче́нка промо́вами, співом і деклями́ціями.

Наслі́дуймо всі Тараса́ Шевче́нка. Люби́м Украї́ну і працю́ймо для не́ї так, як це роби́в Тара́с Шевче́нко.

## N.N.

Сонце заходить, гори чорніють,
Пташечка тихне, поле німіє.
Радіють люде, що одпочинуть,
А я дивлюся... і серцем лину
В темний садочок на Україну.
Лину я, лину, думу гадаю,
І ніби серце одпочиває.
Чорніє поле, і гай, і гори,
На синє небо виходить зоря.
Ой зоре! зоре! — і сльози кануть.
Чи ти зійшла вже і на Украйні?
Чи очі карі тебе шукають
На небі синім? Чи забувають?
Коли забули, бодай заснули,
Про мою доленьку щоб і не чули.

The sun sets, the mountains darken,
A bird grows quiet, the field grows mute,
People rejoice that they will rest,
And I look, and with my heart I rush forth
To a dark tiny orchard to Ukraine
I think a thought, I ponder it,
And it's as though my heart is resting.
The field blackens, the grove and mountains, too,
And a star emerges in the blue sky.
Oh star! Star! And tears fall.
Have you already risen in Ukraine yet?
Are brown eyes searching for you
In the deep blue sky? Or do they forget?
If they've forgotten, may they fall asleep,
To keep from hearing of my fate.

—*Taras Shevchenko, 1847*